# Había una vez una
# oruga

Para Meriel - J.A

Para Hannah, Carl, Heather
y la pequeña revoltosa - M.G

Título original: *Once there was a caterpillar*
Publicado en 2009 por Wayland

1.ª edición: enero 2010

© Wayland, 2009
© De la traducción: Fuencisla del Amo, 2010
© De esta edición: Grupo Anaya, S.A., Madrid, 2010
Juan Ignacio Luca de Tena, 15. 28027 Madrid
www.anayainfantilyjuvenil.com
e-mail: anayainfantilyjuvenil@anaya.es
ISBN: 978-84-667-8682-9

Las normas ortográficas seguidas en este libro
son las establecidas por la Real Academia Española
en su última edición de la *Ortografía,* del año 1999.

Impreso en China - Printed in China

# Milagros de la naturaleza

# Había una vez una
# oruga

Escrito por
**Judith Anderson**

Ilustrado por
**Mike Gordon**

¡Las orugas son increíbles!
Unas son peludas, otras
tienen manchas o rayas.

Y algunas viven en los repollos que cultiva mamá.

La oruga
empieza
siendo
un huevo
pequeñito.

¡Huy!

Los huevos están pegados a la hoja. No se pueden separar.

¡Mira!

Las orugas salen de sus huevos
en primavera. Son muy pequeñas.
Y están hambrientas.

Empiezan a alimentarse enseguida.
Las hojas son su comida favorita.
En realidad, es lo único que comen.

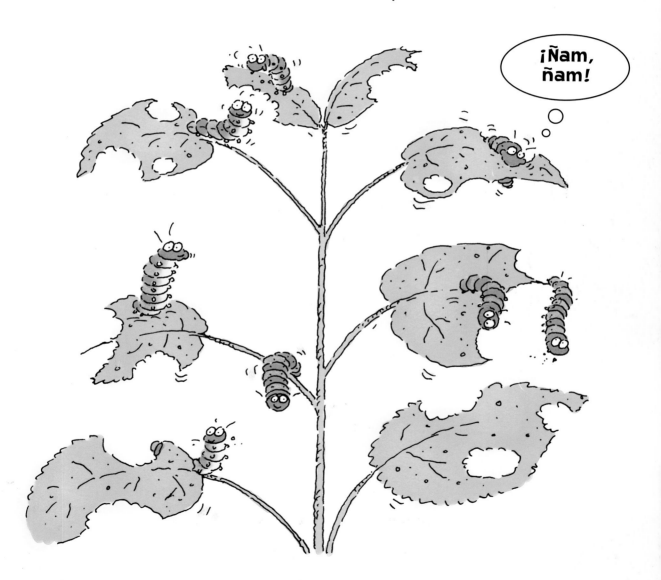

¡Ñam, ñam!

Mientras comen,
van creciendo.

Crecen tan deprisa que pronto
su piel se les queda pequeña.

Por suerte, ya
les ha crecido
otra nueva
debajo.

# ¡Esto ocurre un montón de veces!

12

Al final del verano,
las orugas son ya
grandes y gordas.

Mudan la piel por
última vez y se cuelgan
de una bonita hoja
o de una ramita.

Luego construyen una especie
de cáscara para protegerse,
que se llama crisálida. La crisálida
parece una hoja o una ramita.

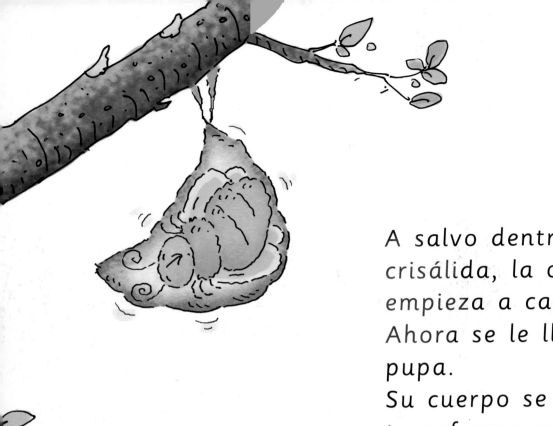

A salvo dentro de la crisálida, la oruga empieza a cambiar. Ahora se le llama pupa.
Su cuerpo se transforma y le empiezan a crecer patas largas y alas.

A este cambio se le
llama metamorfosis.

Entonces, cuando la pupa
está lista, sale rompiendo
la crisálida.

Pero ya no es una pupa.
Se ha convertido en
una bonita mariposa.

La mariposa se calienta
al sol. Luego, sale volando
en busca de comida.

Las mariposas no comen hojas. Chupan el dulce néctar de las flores.

Pero la historia
no acaba aquí...

Después del invierno, la mariposa hembra vuelve al mismo tipo de planta o árbol de donde salió el huevo.

Allí, pone huevos en una
hoja y pronto una nueva
familia de orugas sale
de ellos.

Así, la historia de la oruga vuelve a empezar. Esto se llama ciclo vital, porque se repite una y otra vez.

# NOTAS PARA PADRES Y PROFESORES

## Sugerencias para leer el libro con los niños

Mientras estéis leyendo este libro con los niños, puede ser útil detenerse en cada página para comentar lo que está ocurriendo. A los niños les gustará opinar sobre lo que muestran las ilustraciones y señalar los cambios que se producen en la joven oruga.

La idea de lo que significa un ciclo vital está desarrollada a lo largo del libro y resumida en las últimas páginas con el diagrama en el que se representan los huevos, la oruga, la crisálida y la mariposa. Preguntad a los niños si conocen otros ciclos vitales. ¿Ven algún caso parecido en la naturaleza? Los otros títulos de la colección pueden ayudarles a reflexionar sobre ello.

Hablar sobre orugas y mariposas puede ampliar su vocabulario: crisálida, pupa, néctar y metamorfosis. Será útil escribir una lista de palabras nuevas y explicar su significado.

## Milagros de la naturaleza

Hay cuatro títulos sobre los ciclos vitales: *Había una vez una gota de lluvia*, *Había una vez una oruga*, *Había una vez un renacuajo* y *Había una vez una semilla*. Cada libro anima a los niños a explorar por sí mismos el mundo de la naturaleza a través de la observación directa y de determinadas actividades, y hace hincapié en el desarrollo del sentido de la responsabilidad hacia las plantas, los animales y los recursos naturales.

**Había una vez una oruga** descubrirá a los jóvenes lectores que las orugas y las mariposas son parte del mundo que les rodea. El libro proporciona también enseñanzas y temas de discusión sobre conceptos como «Cambios», «Hábitat» y «Ciclos vitales», al iniciar a los niños en la idea de que las orugas y las mariposas requieren unas condiciones especiales para sobrevivir.

## Sugerencias para actividades complementarias

Los niños de este libro descubren que a las orugas y mariposas les encantan los repollos. Si se quiere conseguir que haya gran variedad de orugas y mariposas en un jardín o en una zona de juegos, explicad a los niños cómo las diferentes especies ponen sus huevos y se alimentan de diversas plantas, e intentad cultivar algunas de sus favoritas como las capuchinas, la lavanda y la lunaria. La budelia también atraerá a muchas mariposas.

Hay que recordar también que las mariposas necesitan un sitio resguardado y calor, tanto como el alimento. Si queréis hacer un jardín de mariposas, elegid un lugar soleado, protegido del viento, y procurad que haya agua cerca en un charco o en un plato poco profundo colocado en el suelo. A ciertas especies también les gustan las manzanas o peras podridas.

También se pueden buscar orugas y mariposas en zonas silvestres, ya que varias especies comunes prefieren ortigas, cardos o hierba cana. Animad a los niños a tomar nota de todos los insectos que ven y de las plantas en las que estos se encuentran. Pero es muy importante que recuerden que las ortigas y los cardos pican y pinchan si se tocan.